Flute

Classical Highlights for Flute

Beliebte Klassiker für Flöte

arranged for Flute and Piano
bearbeitet für Flöte und Klavier

With piano accompaniment and play-along (pdf/mp3) for download
Mit Klavierbegleitung und Play-along (pdf/mp3) als Download

Edited by / Herausgegeben von
Kate Mitchell

ED 23450
ISMN 979-0-001-21374-5

Cover illustration:
Baroque ornament: © HiSunnySky – Fotolia.com

www.schott-music.com

Mainz · London · Madrid · Paris · New York · Tokyo · Beijing
© 2013/2021 Schott Music GmbH & Co. KG, Mainz · Printed in Germany

Inhalt / Contents

Auf der Website **www.schott-music.com/online-material** können alle Audio-Dateien mit dem folgenden Gutscheincode kostenlos heruntergeladen werden: **t6LGqJdU**

Please visit **www.schott-music.com/online-material** to download all audio files for free using the following voucher code: **t6LGqJdU**

Die Klavierbegleitungen können auf der Website **www.schott-music.com/webcodes**
mit folgendem Code heruntergeladen werden: **fpRmqEz9**

To download the piano accompaniment please visit **www.schott-music.com/webcodes**
using the following voucher code: **fpRmqEz9**

Air

aus der Orchestersuite Nr. 3 D-Dur
from the Orchestral Suite No. 3 D major
BWV 1068

Arr.: Wolfgang Birtel

Johann Sebastian Bach
1685–1750

Track 2

Jesus bleibet meine Freude

Jesu, Joy of Man's Desiring

Arr.: Wolfgang Birtel

Johann Sebastian Bach
1685–1750

aus der Kantate „Herz und Mund und Tat und Leben" / from the Cantata "Heart and Mouth and Deed and Life", BWV 147

Track 3

Largo
aus der Oper / from the opera »Xerxes«

Arr.: Wolfgang Birtel

Georg Friedrich Händel
1685–1759

Track 4

Ave Maria

opus 52/6

Arr.: Wolfgang Birtel

Franz Schubert
1797–1828

Sehr langsam

Track 5

Hochzeitsmarsch
aus »Ein Sommernachtstraum«
Wedding March
from »A Midsummer Night's Dream«
opus 61/9

Arr.: Wolfgang Birtel

Felix Mendelssohn
1809–1847

Allegro vivace

Träumerei
Reveries
opus 15/7

Track 6

Arr.: Wolfgang Birtel

Robert Schumann
1810–1856

aus: „Kinderszenen" / from: "Scenes of Childhood"

© 2013 Schott Music GmbH & Co. KG, Mainz

Track 7

Treulich geführt

Brautchor aus / Bridal Chorus from
»Lohengrin«

Arr.: Wolfgang Birtel

Richard Wagner
1813–1883

Moderato con moto

Poco più lento

-de Tempo primo

Track 8

Melodie
Melody
opus 3/1

Arr.: Wolfgang Birtel

Anton Rubinstein
1829–1894

Hummelflug
The Flight of the Bumble-Bee

Track 9

Arr.: Uwe Korn

Nicolai Andrejewitsch Rimskij-Korsakow
1844–1908

aus der Oper „Das Märchen vom Zaren Saltan" / from the opera "The Tale of Tsar Saltan"

Track 10

Après un rêve

Arr.: Wolfgang Birtel

Gabriel Fauré
1845–1924

Andantino

Pavane
opus 50

Track 11

Arr.: Wolfgang Birtel

Gabriel Fauré
1845–1914

Andante molto moderato (♩ = 84)

Poème
opus 39

Track 12

Arr.: Wolfgang Birtel

Zdeněk Fibich
1850–1900

aus der Idylle „Am Abend" / from the Idyll "At Twilight"

Track 13

Recuerdos de la Alhambra

Arr.: Wolfgang Birtel

Francisco Tárrega
1852–1909

Andante

Track 14

Pomp and Circumstance
Military March No. 1
opus 39/1

Arr.: Wolfgang Birtel

Edward Elgar
1857–1934

Tempo primo

To a wild rose
opus 51/1

Track 15

Arr.: Wolfgang Birtel

Edward MacDowell
1860–1908

aus „Amerikanische Wald-Idyllen" / from "Woodland Sketches"

Track 16

Gymnopédie No. 1

Arr.: Wolfgang Birtel

Erik Satie
1866–1925

Lent et douloureux

Bolero

Arr.: Uwe Korn

Maurice Ravel
1875–1937

Liebesfreud
Love's Joy

Track 18

Arr.: Wolfgang Birtel

Fritz Kreisler
1875–1962

aus: Alt-Wiener Tanzweisen, Nr. 1 / from: Old Viennese Dance Tunes, No. 1

34

Liebesleid
Love's Sorrow

Arr.: Wolfgang Birtel

Fritz Kreisler

Tempo di Ländler

aus: Alt-Wiener Tanzweisen, Nr. 2 / from: Old Viennese Dance Tunes, No. 2

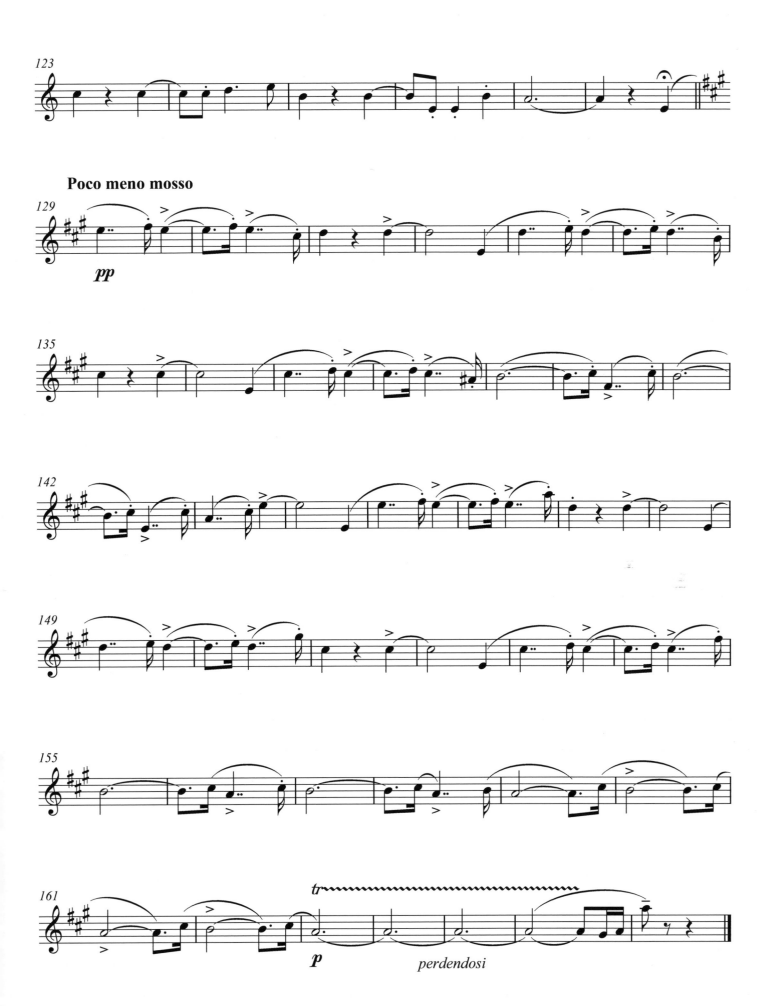

La fille aux cheveux de lin

Track 20

Arr.: Roger Brison

Claude Debussy
1862–1918

Blue Waltz

Arr.: Wolfgang Birtel

Eduard Pütz
1911–2000